Dirección Editorial: **Raquel López Varela**
Coordinación Editorial: **Ana María García Alonso**
Maquetación: **Patricia Martínez Fernández**
Diseño de cubierta: **Francisco A. Morais**

© del texto, Alfredo Gómez Cerdá
© de la ilustración, Teo Puebla
© EDITORIAL EVEREST, S. A.
ISBN: 978-84-441-4681-2
Depósito legal: LE. 668-2011
Printed in Spain - Impreso en España

EDITORIAL EVERGRÁFICAS, S. L.
Carretera León-La Coruña, km 5
LEÓN (España)
Atención al cliente: 902 123 400
www.everest.es

El bosque invisible

Alfredo Gómez Cerdá
Ilustrado por **Teo Puebla**

everest

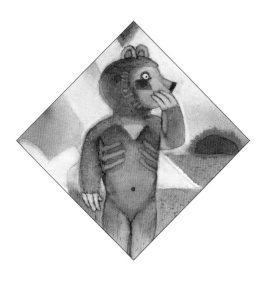

Cuando la primavera comenzó a empujar al invierno para abrirse camino, cuando los días se volvieron más largos y luminosos porque el sol remoloneaba antes de acostarse tras la cordillera, cuando las ramas de los árboles se llenaron de brotes verdes, el gran oso pardo se despertó de su larga siesta.

Llevaba todo el invierno durmiendo en el interior de una cueva, al abrigo de los vientos huracanados, del frío y de la nieve.

Se desperezó estirándose una y otra vez. Luego, se incorporó y se sostuvo sobre sus patas traseras. Observó de reojo su cuerpo y comprobó que estaba muy delgado. Llevaba mucho tiempo sin probar bocado.

Por suerte, cuando comenzó a hibernar tenía la tripa bien llena y buenas reservas repartidas por su cuerpo. Eso, junto a la inactividad, le había permitido aguantar tanto tiempo.

Caminó hasta el exterior de la cueva y la claridad del día le cegó. Tuvo que cerrar los ojos durante unos segundos para acostumbrarse a la luz después de meses de penumbra.

Pero le gustó sentir sobre su piel, sobre su largo pelaje, los rayos del sol.

Erguido, arrugó el hocico y volvió a estirarse. De lejos, cualquiera podía haberlo confundido con un ser humano.

Pensó el gran oso pardo que lo primero que debía hacer era darse un buen desayuno. No sería problema, pues el bosque, como de costumbre, le surtiría de todo lo que le apeteciese.

Ya se relamía pensando en el banquete.

Pero cuando al fin se adaptó a la luz y contempló lo que le rodeaba se llevó una enorme sorpresa.

«¿Dónde está el bosque?», se preguntó, sin dejar de mirar a un lado y al otro.

Estaba convencido de que la cueva se encontraba en el bosque; sin embargo, lo que veía le resultaba totalmente desconocido.

Lo achacó a su mala cabeza. Era consciente de que ya tenía muchos años y de que a veces la memoria le jugaba malas pasadas.

Trataba de razonar en voz alta, para hacer memoria:

«Seguramente me confundí de cueva. ¡Qué cabeza la mía! Con las prisas por encontrar un refugio debí de meterme en el primer sitio que encontré. ¡Menos mal que nadie me ha molestado durante todo el invierno!».

El oso seguía buscando y buscando una pista que le llevase al bosque, que era su hogar.

Cansado de caminar, se sentó a la sombra de un árbol que crecía solitario en medio de un páramo.

Su estómago se mostraba impaciente y había comenzado a protestar. Los ruidos de sus tripas asustaron a unos pajarillos que saltaban de rama en rama.

Como no veía ni rastro del bosque, el oso aguzó sus otros sentidos. Escuchó con atención, para ver si le llegaba algún murmullo conocido, olfateó en una y otra dirección, tratando de reconocer un olor.

Y como es lógico, le llegaron sonidos y olores, pero ninguno le recordaba al bosque.

Olfateando, además, le llegó un aroma poco agradable. Desde luego, se trataba de un animal, aunque no supo reconocerlo con exactitud. Se puso en guardia.

Al momento, un lobo apareció entre unos matorrales. Saltaba a la vista que estaba muy flaco y desgreñado.

El lobo se sorprendió al ver al oso y también se puso en guardia.

Los dos animales estuvieron un buen raro mirándose con fijeza, con el cuerpo en gran tensión, estudiándose mutuamente. De vez en cuando se lanzaban un gruñido.

Como ninguno tenía ganas de pelea, pues los dos andaban muy escasos de fuerzas, se fueron calmando y, poco a poco, comenzaron a alejarse el uno del otro.

Pero, de pronto, el oso tuvo una idea. Pensó que tal vez ese lobo pudiese darle noticia del bosque. Por eso, se decidió a preguntarle:

—Podrías indicarme el camino del bosque, creo que me he perdido y...

—¿Tú tampoco lo encuentras? —el lobo ni siquiera le dejó terminar la frase.

—¿Qué quieres decir? —volvió a preguntar el oso, desconcertado.

—Me fui antes del invierno con una manada por unas sierras que están en la dirección del sol cuando se pone. Pero me cansé de su compañía y decidí volver al bosque donde siempre había vivido.

El lobo suspiró y el oso, intrigado, le apremió para que continuase su relato.

—¿Y que ocurrió?

—Que yo tampoco encuentro el bosque.

Ya calmados, el oso y el lobo hablaron durante un buen rato. Los dos estaban seguros de que el bosque tenía que encontrarse cerca, sin embargo...

—Reconozco las cumbres de esas montañas —razonaba el lobo.

—Yo también las reconozco. Allí nace un río, donde solía darme un buen atracón de salmones. Y ese río debería estar por... por... No lo veo.

Y los dos escuálidos animales volvían a mirar a su alrededor. Parecía que al bosque se lo hubiese tragado la tierra.

Pero como los dos pensaban que en el fondo se trataba de un problema de desorientación, decidieron no darse por vencidos y reanudaron la búsqueda.

Eso sí, como los dos buscaban lo mismo decidieron continuar juntos.

Tuvieron que apartarse bruscamente al llegar a un camino enorme, salpicado de puentes y de túneles. Ninguno de los dos lo recordaba. Se escondieron tras unas rocas cuando vieron acercarse a unos humanos montados en unos aparatos de cuatro ruedas que les transportaban a toda velocidad.

Los dos se taparon las orejas, pues el ruido que emitían esos veloces aparatos era insoportable.

—Los humanos y los lobos nunca nos hemos llevado bien —comentó el lobo, negando con la cabeza.

—Tampoco los osos salimos bien librados.

—Para entretenerse, los humanos inventan historias descabelladas de nosotros —continuó el lobo—. He oído decir que cuentan la historia de un lobo que se tragó de un bocado a una niña con una caperuza roja y a su abuela. ¡Qué disparate!

—Yo también he oído decir que a los osos nos hacen bailar sobre una banqueta muy pequeña.

—Siempre me han dado miedo los humanos. Si los veo, me escondo.

—Yo hago lo mismo que tú. De los humanos, cuanto más lejos, mejor.

El lobo y el oso se alegraron mucho al descubrir el tronco de un viejo roble, caído sobre un terraplén. Los dos reconocieron aquel roble, su corteza, sus nudos, sus arrugas centenarias.

—Justo detrás de este roble estaba el bosque —dijo el oso.

—Sí, yo lo recuerdo también.

A pesar de sus pocas fuerzas, animados por el descubrimiento, echaron a correr. Pero no habían dado cuatro zancadas cuando tuvieron que detenerse de golpe.

El terreno había sido atravesado por dos raíles, colocados en paralelo sobre traviesas de hormigón.

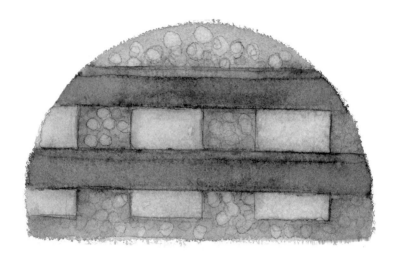

   Y salieron despavoridos cuando
vieron que por encima de aquellos
raíles, a toda velocidad, se acerca-
ba una especie de monstruo. Era
como un gusano gigante, desco-
munal, rígido y flexible al mismo
tiempo, que en vez de patas tenía
ruedas.

   El estruendo que produjo al pasar
junto a ellos les dejó mudos durante
un buen rato. ¡Tan grande fue la im-
presión que les causó!

Su desesperación iba en aumento. El bosque no aparecía por ninguna parte, su hambre aumentaba sin cesar y, para colmo, la presencia de humanos se hacía casi insoportable. Cada dos por tres tenían que esconderse para no toparse con ellos, pues sus casas se extendían por todas partes.

Al caer la noche estaban exhaustos. Se tumbaron a descansar para recuperar algunas fuerzas. Entonces les llamó la atención un resplandor a lo lejos.

Aunque podían imaginárselo, el oso y el lobo sintieron curiosidad por aquel resplandor y se acercaron un poco.

Se trataba de un pueblo grande. Desde lejos se adivinaban sus calles iluminadas, la iglesia y las ruinas de un castillo sobre un cerro.

—Tal vez allí encontremos algo de comida —dijo el oso.

—Yo no pienso meterme en la boca de los humanos —dijo el lobo.

Pero se acercaron hasta llegar a las primeras casas. Ya era tarde y los humanos debían de estar durmiendo.

Olisqueando llegaron al vertedero de basura de aquel pueblo. Una montaña enorme donde se mezclaban desechos de todo tipo.

Comenzaron a rebuscar y pronto encontraron alguna cosa que llevarse a sus bocas. Desde luego no eran manjares. A veces les parecía reconocer un sabor, pero el problema era que siempre estaba mezclado con muchos otros, lo que lo convertía en desagradable, cuando no en repugnante.

Pero no era el momento de hacer remilgos. Había que llenar la tripa a toda costa y, además, a toda prisa, antes de que un humano apareciese por los alrededores.

Durante varios días, el oso y el lobo vagaron juntos. Los dos eran conscientes de formar una extraña pareja. Pero como buscaban la misma cosa, sabían que no debían separarse. Además, el roce los estaba haciendo buenos amigos.

Ambos se prometieron que, cuando al fin encontrasen el bosque, seguirían visitándose a menudo.

¡El bosque! Pero... ¿dónde estaba el bosque?

Hasta llegaron a pensar que algún duende, de los que se decía habitaban en él, por medio de un conjuro lo había vuelto invisible.

—A lo mejor lo tenemos delante de nuestros hocicos y no nos damos cuenta —comentó el oso.

—Si lo tuviésemos tan cerca lo sentiríamos, estoy convencido —aseguró el lobo.

Además, a los dos les parecía absurdo que un duende hiciese una cosa así. ¿Para qué podía servir un bosque invisible?

En alguna ocasión volvieron al vertedero de basura del pueblo, pero, aunque rebuscaron mucho, no encontraron casi nada que comer.

Su esperanza de encontrar el bosque se iba debilitando y cada vez se volvían más pesimistas.

—Moriremos de hambre y de agotamiento.

Después de varios días de búsqueda infructuosa, agotados, se tumbaron junto a un camino. Era tal su debilidad que los dos habían perdido casi la consciencia.

No obstante, se dieron cuenta de cómo un camión se detuvo junto a ellos al cabo de un par de horas, de cómo varios humanos descendieron y los examinaron, de cómo les subieron a la parte trasera de aquel camión y les dieron algo de comer y de beber.

Tras un buen rato de viaje les hicieron bajar y les colocaron en una larga fila de animales, detrás de un zorro y de un jabalí.

Uno a uno, fueron pasando por delante de varios humanos con bata blanca.

Los pesaron, los midieron, les miraron los dientes y los ojos... Luego, les pusieron una inyección que les dolió un poco. Y por último, les colocaron una pulsera en una de sus patas.

A continuación, los soltaron en un recinto vallado. Había árboles, aunque algunos no eran de verdad; había un río, aunque sus aguas estaban estancadas; había comida, aunque dentro de unos abrevaderos.

Las vallas eran altas y, si las tocabas, daban calambre.

Junto a la puerta de entrada de aquel recinto había un gran aparcamiento y una caseta donde se vendían las entradas.

También había un cartel muy grande, donde podía leerse lo siguiente:

«EL BOSQUE»
RESERVA DE
ANIMALES SALVAJES
Horario de visita:
Invierno: de 10 a 17 horas
Verano: de 10 a 21 horas

El oso y el lobo, lo mismo que el resto de los animales, engordaron en aquella reserva. Pero ninguno de ellos pudo evitar que la nostalgia, como si fuera el pico de un pájaro carpintero, taladrase sus corazones.

SERIE DICHOSOS HUMANOS